U0270412

病毒是什么？

ウイルスって何だろう

[日]青野由利 / 著

李奕 / 译

贵州出版集团
贵州人民出版社

VIRUS TTE NANDARO by Yuri Aono

Illustrated by Toshinori Yonemura

Copyright © Yuri Aono, 2022

Original Japanese edition published by Chikumashobo Ltd.

This Simplified Chinese edition published by arrangement with Chikumashobo Ltd., Tokyo, through Tuttle-Mori Agency, Inc.

Simplified Chinese translation copyright © 2025 by United Sky (Beijing) New Media Co., Ltd.

All rights reserved.

著作权合同登记号 图字：22-2024-018 号

图书在版编目（CIP）数据

病毒是什么？/（日）青野由利著；李奕译．

贵阳：贵州人民出版社，2025. 1. – (Q 文库).

ISBN 978-7-221-18541-9

Ⅰ . Q939.4-49

中国国家版本馆 CIP 数据核字第 2024GY0377 号

BINGDU SHI SHENME ?

病毒是什么？

[日] 青野由利 / 著

李奕 / 译

| 选题策划 | 轻读文库 | 出 版 人 | 朱文迅 |
| 责任编辑 | 杨 礼 | 特约编辑 | 邵嘉瑜 |

出　版	贵州出版集团　贵州人民出版社
地　址	贵州省贵阳市观山湖区会展东路 SOHO 办公区 A 座
发　行	轻读文化传媒（北京）有限公司
印　刷	北京雅图新世纪印刷科技有限公司
版　次	2025 年 1 月第 1 版
印　次	2025 年 1 月第 1 次印刷
开　本	730 毫米 × 940 毫米　1/32
印　张	2.875
字　数	47 千字
书　号	ISBN 978-7-221-18541-9
定　价	25.00 元

关注轻读

客服咨询

目录

前言

提到病毒，大家一定都对这个麻烦玩意儿深恶痛绝。

这次都拜新冠病毒所赐，且不说每天必须戴口罩，甚至出门有限制，会友更不行。

不仅老百姓深受其扰，就连传染病专家也直呼"这种病毒真是又棘手又狡猾"。

说得没错。就在大家都以为快要熬过传染高峰期时，立马又会有新的一波变异株悄然来袭，不断地出现新的变异株，来取代之前的病毒毒株。

因为大多数人在感染病毒之后的症状可能比较轻或者是无症状，于是病毒会在人毫无察觉的情况下形成传播链。等扩散到养老院等弱势人群集中的地方时，才会暴发集体感染，这才使病毒大流行现出原形。

的确令人头疼。

然而，病毒也不是故意来捣乱的。当然啦，病毒原本就没有意识。

不仅如此，病毒甚至连"生物"都算不上。

为什么这么说呢？那是因为病毒根本无法独立生存与自我繁殖。

从这点上可以说，病毒并不是完整的生命体。

既然如此，为何病毒还能在全球蔓延，甚至将社会搅得天翻地覆呢？

那是因为病毒具有寄生于生物细胞，并通过占领细胞后实现自我增殖的特性。

病毒仅靠自身是无法生存的。相反，它需要入侵别的生物体，利用宿主细胞进行自我繁殖，然后，感染下一个宿主细胞，霸占该细胞后继续繁殖……像这样周而复始。

如果没有了可以霸占的宿主细胞呢？病毒的生命就会戛然而止，无法再活下去。

换句话说，病毒是通过动植物（有时候是细菌）来繁衍生息的，动植物也会携带着病毒四处扩散。

当然，这个"动物"也包含了"人类"。

正因如此，感染者的增减取决于人们的活动方式。

无论感染者身处何地，只要从自身细胞里扩散出来的病毒，找不到下一个宿主细胞的话，病毒就不会再继续增加。

比如，即使把病毒放在装有营养液的培养皿里培养，病毒依旧无法生存。因为它必须霸占一个宿主细胞。

这就是病毒与大肠杆菌等那些细菌的不同之处。

新冠病毒瞬间席卷全球，也并不是病毒的自驾游。

它只是搭乘在穿梭于世界各地的人类身上，漫游全球罢了。

以前，在还没有飞机的时候，病毒就依附在乘船渡海之人身上，踏上旅途。

比如日本奈良时代，在天平七年（735年）至天平九年（737年）就发生过一次天花瘟疫，据说当时有二到三成的人口死于那场流行病。

当权者也难逃一劫，对当时的政治格局产生了重大的影响。

圣武天皇为祈求上苍平复当时混乱的社会局面，还特地修建了东大寺的奈良大佛。

那次的天花瘟疫究竟是怎样开始的呢？有一种说法是，当时的遣新罗使在朝鲜半岛染病后直接回到日本，于是把病毒也一起带了回来。

还有，哥伦布发现美洲大陆之后，把欧洲的天花等传染病也一并带了过去，给原住民造成了巨大的伤害。

病毒不仅能传染人类，还能传染各种动物，把它们作为宿主，为己所用。

这也与此次新冠病毒大流行以及流感病毒大流行的发生有着密切的关系。

动物携带的大部分病毒不会传染给人类。但是当病毒的遗传基因稍有改变，变成人类也容易感染时，就可能会引发新传染病的流行。

SARS病毒和埃博拉病毒都被认为来自蝙蝠所携带的病毒。

流感病毒则是在禽类、猪和人类之间传播，有时会引发大流行。

人类与动物接触的机会越多，病毒就越容易由动物传染给人类。

砍伐和开发动物栖息的森林，或者大规模饲养家畜，都会增加病毒大流行的风险。

仔细想一下，不觉得这微不可见的小小病毒实际上就是人类社会的一面镜子吗？

本书的第1章"病毒是生物吗？"叙述病毒的概况；第2章将介绍"新冠病毒有何特征？"；第3章"新型病毒从何而来？"将探讨病毒的起源；第4章来聊一聊关于"人类与病毒的斗争"；最后在第5章"传染病是社会的一面镜子"中思考传染病与社会的关系。

第1章

———

病毒是生物吗？

病毒与细菌

我首次接触到"病毒是什么？"这样基本的问题是在我刚刚成为科学记者的时候。

契机是在仙台举办的一次大型学术会议——"国际病毒学会议"。来自国内外著名的病毒学专家和传染病专家齐聚一堂。

发现艾滋病病毒的吕克·蒙塔尼耶博士、发现朊毒体的斯坦利·普鲁西纳博士等后来获得诺贝尔奖的学者们都在场。（顺便说一下，"朊毒体"既不是病毒也不是细菌，而是导致牛海绵状脑病，又称疯牛病的传染性物质。）

就在为这次采访做准备的时候，我的脑子里突然闪现出一个基本的疑问：说起来，细菌和病毒到底有什么区别呢？

两者都小到肉眼看不见，病毒比细菌更小。除此之外，我还知道一些基本的知识，比如流感是病毒造成的，结核菌和大肠杆菌则属于细菌。

但是两者之间应该有更为本质的区别。

那就是"细菌能自我复制与繁殖"，"病毒不能自我复制与繁殖"。

换言之，"细菌是由细胞构成的，病毒则连细胞都算不上"。

咦？连细胞都算不上是什么意思？

众所周知，我们的身体是由细胞构成的。细胞中含有DNA。那是被称为人类设计蓝图的遗传基因的核心物质。

包括我们人类在内，地球上的动植物和细菌都以DNA作为遗传信息。这些遗传信息会被转录为RNA，然后再根据这些信息合成蛋白质。蛋白质是生物赖以生存的必要物质。细胞分裂时，DNA会被复制。在复制机制中，蛋白质也是必不可少的。

顺便说一下，DNA是英文"脱氧核糖核酸"（DeoxyriboNucleic Acid）的首字母缩写，RNA是英文"核糖核酸"（RiboNucleic Acid）的首字母缩写。RNA和DNA很相似，只是构成的分子稍有不同。

另外，根据其功能，还分为mRNA（信使RNA）、tRNA（转运RNA），两者基本的构成分子是一样的。

只要具备足够的营养、水和适宜的温度这些条件，细胞就能实现自我复制与繁殖。

比如重度烧伤时，可以通过培养和增殖自己的皮肤细胞，进行植皮治疗。皮肤细胞在适当的条件下是可以不断增殖的。

细菌是由一个细胞构成的"单细胞生物"，只要有足够的营养源，就能够实现自我繁殖。

比如酸奶中含有的乳酸菌可以在琼脂上不断繁殖。

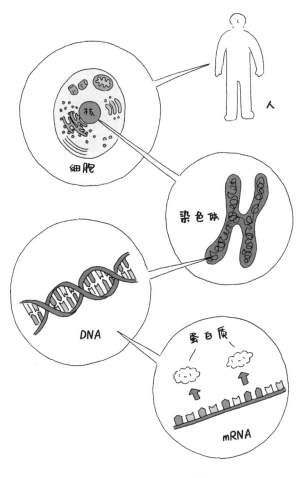

人

细胞

核

染色体

DNA

蛋白质

mRNA

根据细胞内DNA的信息合成蛋白质

细胞可以从外界摄取营养，将其转化为能量，完成自我复制。

换句话说，我们可以认为细胞拥有完成自我繁殖的"装置"。于是是否拥有这样的细胞就成了判断生物的一个标准。

但是，病毒并不满足细胞的条件。

病毒的结构非常简单，仅由承载遗传信息的分子，也就是DNA或RNA和包裹这个分子的蛋白质外壳（衣壳）所构成，大小通常是头发直径的数百乃至数千分之一（实际上也发现了和细菌差不多大的病毒）。

有些病毒在衣壳外还有一层脂质的膜（包膜），酒精可以破坏这层膜。新冠病毒这种拥有包膜的病毒可以用酒精来消毒，但是像诸如病毒这样没有这层膜的病毒就不能用酒精实现彻底消毒。

所以，病毒虽然拥有遗传基因，但仅靠供给营养是无法进行复制与繁殖的。

为了繁殖，病毒必须通过感染其他细胞，借用细胞内的复制"装置"。

可以这么认为，病毒"寄生"于细胞，并将细胞占为己有。

因此，很多人认为病毒难以被归类为"生物"，而是介于生物与非生物之间的一种中间存在。

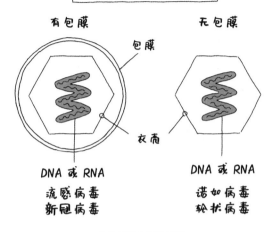

病毒的基本构造

有包膜　　　　　　　　　　　无包膜

包膜

衣壳

DNA 或 RNA　　　　　　　　DNA 或 RNA

流感病毒　　　　　　　　　　诺如病毒
新冠病毒　　　　　　　　　　轮状病毒

广义划分的两种病毒

病毒种类繁多

如此难以界定是否为生物的病毒，种类却有不少。

比如，现在众所周知的新冠病毒的遗传物质是单股正链RNA。

我们人类以及动植物的遗传物质DNA则呈现出两条锁链相互缠绕的形态，即著名的DNA双螺旋结构。

11

病毒中也有携带双链DNA作为遗传信息的，比如现已绝迹的天花病毒，还有乙肝病毒。

此外还有单链DNA的病毒和双链RNA的病毒。

跟新冠病毒一样拥有单链RNA的病毒还有风疹病毒、丙肝病毒、诺如病毒（吃了生牡蛎而拉肚子的时候，大概率都是诺如病毒在作祟）。

此外病毒的形状也是五花八门，新冠病毒和流感病毒呈球形，而电子显微镜下的埃博拉病毒则像是绳索。

抗生素无济于事

也是在那个时候，我才知道，如果是细菌感染的话，抗生素（消炎药）有立竿见影的效果，但是对于病毒感染，几乎没有特效药物。

现在，如果你被诊断为流感，医生就会开具抗病毒药物的处方。然而就在不久前，仍然没有针对流感病毒的特效药。

有人可能会想问，不管是流感还是感冒，医生不都会开抗生素吗？

确实，抗生素对流感病毒感染后造成的继发细菌感染是有效果的，但是对病毒本身则徒劳无功。

这是为什么呢？

抗生素最初被发现于1928年，是由英国生物学家亚历山大·弗莱明在青霉菌产生的物质中发现的。

大家应该都听说过"青霉素"这个名字。

它的作用是什么呢？就是阻止细胞生成细胞壁。如果细胞无法生成细胞壁，便难以存活。

细胞壁是细胞膜外部的构造，细菌有细胞壁，而病毒从一开始就没有细胞壁。

因此使用像青霉素这样的抗生素，对病毒是毫无作用的。

或许有人会问，人和细菌一样都是由细胞构成的，不会有问题吗？因为人体细胞本就没有细胞壁，所以并无大碍（植物虽然有细胞壁，但是性质不同）。

后来，人类又开发出了各式各样的抗生素，但它们都只能遏制细菌的增殖，对病毒毫无作用。

人类曾一度以为"抗生素出马就能解决一切传染病"，但最终还是不能解决由病毒造成的传染病。

开发能够击败病毒的抗病毒药物需要采取与抗生素完全不同的战略，因此并非易事。

在不断尝试的过程中，研究人员开发出了几种抗病毒药物，最终完成的抗流感药物就是达菲。

顺便说一下，药剂有"商品名"和"通用名"之分，达菲是商品名，通用名叫奥司他韦。

细胞感染病毒之后，细胞中会产生大量的病毒遗传物质和蛋白质，形成的子代病毒被释放到宿主细胞之外。

达菲能够抑制子代病毒从细胞中释放出去，从而达到阻止病毒增殖的效果。

自达菲之后，科研人员又陆续研发出了扎那米韦、拉尼米韦辛酸酯、巴洛沙韦玛波西酯、帕拉米韦等抗病毒药。

使用方法有口服、吸入、点滴等不同的方式。

每种药物各有利弊，同时还出现了一个新的问题，那就是随着抗流感药物的广泛使用，可能会出现具备耐药性的流感病毒。

这样一来，药效可能会减弱，甚至失效。这在抗生素里也是非常常见的现象。

如果使用不当，就会导致耐药性病毒的出现，因此必须时刻警惕。

病毒是何时出现的？

那么，病毒是何时出现在地球上的呢？

真相无从得知，因为谁都不曾亲眼见过。

但是从构成生物界的动植物、细菌，甚至古细菌都曾被病毒感染的情况来看，可以认为病毒早在远古时代就已经存在了。

可能有人在听到植物和细菌也会被病毒感染时，

大吃一惊了吧。

然而事实就是如此。

例如，能感染植物的病毒中，最著名的就是能够感染烟草叶的烟草花叶病毒。实际上，这也是18世纪末的时候，首例被人类发现的病毒。

现在我们已经知道了很多种植物病毒。

那么，能感染细菌的病毒是什么呢？

我们称为噬菌体。令人难以置信的是，那些能感染人类、使人得病的细菌居然也敌不过这种病毒。

除了致病菌之外，还有能制作酸奶的乳酸菌，像这类细菌也会被噬菌体感染，导致酸奶制作失败。

这样的病毒，是如何出现在地球上的呢？

主要有三种假说。

一是"病毒先起源假说"。有人认为在细胞出现之前，病毒就已存在于世了，它对细胞的诞生起到了一定的作用，但是这一假说并不被看好。

二是"退行性起源假说"。这种假说认为是寄生在细胞中的小细胞的一部分变成了病毒。20年前发现的"大病毒"，就被认为是这一假说的有力证据。

三是"叛逃性假说"。这种假说认为病毒是一些从细胞里逃离出来的遗传物质。

此外还有其他的假说，但都各有利弊，莫衷一是，难下定论。

可是很明显能发现一点，就是不论何种假说，都

　　　　　　　　第1章　病毒是生物吗？

与生命如何演化息息相关。

病毒感染的古老痕迹

另外还有一个，在此特别想跟大家介绍的是"内源性逆转录病毒"。

虽然听上去比较难以理解，但因为的的确确存在于人体细胞内，所以不能置若罔闻。

首先来解释一下逆转录病毒。

逆转录病毒的"逆"，和复古时尚、复古潮流的"复古"源自同一个词，和"回去"是一个意思。

通常，生物携带DNA作为遗传信息，将这一信息转录成mRNA（信使RNA），然后根据这一信息合成蛋白质。

蛋白质不仅是构成身体的重要物质，还是体内各种化学反应的催化剂，在细胞繁殖过程中也必不可少。

总而言之，一般遗传信息流程是按DNA→mRNA→蛋白质的顺序进行的，其中DNA→mRNA的过程称为转录。

我们刚才提到病毒的遗传物质既可以是DNA，也可以是RNA。逆转录病毒是以RNA作为遗传物质的一类病毒，可以将RNA转录为DNA。

即遗传过程变为RNA→DNA。由于跟一般的转录顺序相反，所以称为"逆转录"。

这种病毒感染宿主细胞后，将其遗传信息从 RNA 转录为 DNA，然后整合到宿主细胞的 DNA 中。

以 RNA 的形式是不能被重组融合的，只有在逆转录为 DNA 之后，才能够成功地重组融合到宿主细胞中。

从病毒的角度看，利用宿主细胞来共同增殖，或许十分方便，但是从被感染者的角度看，他的 DNA 里嵌入了病毒基因，情况就变得相当棘手。

逆转录病毒中最为人所熟知的就是艾滋病病毒。

那么，内源性逆转录病毒又是什么呢？

在研究人类的遗传基因时，我们发现了具有类似逆转录病毒特征的基因序列。

而且几乎占了人类基因组序列（全部的遗传信息）的一成，可谓相当高的比例了。

也就是说很久以前，生物在感染病毒之后，将病毒的遗传基因吸收整合，并在后代中传承，这就是内源性逆转录病毒。

它也被称为古病毒的"分子化石"。

这种病毒不仅早已不再具有病原性，甚至有人还认为是它促进了古生物的进化。

话虽如此，但一想到我们的细胞中居然遗留着如此古老的"分子化石"，难道不觉得有一丝丝神

第 1 章 病毒是生物吗？

奇吗？

　　至此，我笼统地向大家介绍了病毒的概况。下一章，就来聊一聊关于让世界陷入混乱的新冠病毒吧。

第 2 章

———

新冠病毒有何特征？

新冠病毒的出现

2020年1月初，中国出现不明原因的肺炎集体感染。

随后，在1月上旬，医学专家就破译了病毒的全基因组序列，并发布在公开的数据库中。我们由此得知，这是由新型冠状病毒引起的传染性疾病。

冠状病毒并不稀罕。

当我们觉得"好像感冒了"的时候，病原体可能就是冠状病毒。

除此之外，鼻病毒、呼吸道合胞体病毒、腺病毒等都是会引起感冒的病因。

可能会有人想问，怎么没有流感病毒呢？

流感症状和感冒症状极为相似。但流感是流感，和普通的感冒还是得区别对待。

只要不是极为严重的感冒，一般都不会造成死亡。但是流感症状可能会很严重，特别是当感染者为老年人时，可能会导致死亡。虽不常见，但儿童也有因此患脑炎的风险。

所以，不能把流感当作普通的小感冒，需要接种疫苗，更重要的是一旦感染，就要停工停学，自主隔离。

回到冠状病毒的话题，"corona"一词来源于希腊语，意为"王冠"。

　　　　　　　　第2章　新冠病毒有何特征？

大家肯定在新闻报道中多次看到过电子显微镜下新冠病毒的照片了，病毒的周围有一圈突刺。

那些突刺看上去就像王冠一样，病毒因此得名。

听到王冠，可能就会有人联想到日冕。

日冕是在太阳最外面的一层高温大气。平时不太能看到，只有在日全食的情况下才能见到，看上去就像王冠一样。（闲聊而已，如果有机会的话，大家一定要去看一下日全食，是非常壮观的天体现象。）

冠状病毒也有各种类型。

引起普通感冒的冠状病毒有4种。

除此以外，还有引起重症肺炎SARS（Severe Acute Respiratory Syndrome，严重急性呼吸道综合征）和MERS（Middle East Respiratory Syndrome，中东呼吸综合征）的病原性病毒。

SARS是从2002年到2003年流行的新型传染病。MERS是2012年9月之后，在沙特阿拉伯和阿拉伯联合酋长国等中东地区发生的传染病。

总而言之，现在已知的冠状病毒包括引起普通感冒的4种冠状病毒、引起肺炎的2种冠状病毒，还有此次的新型冠状病毒，共计7种。

这次听到"原因不明的肺炎"时，很多人的脑海中就会立马浮现出一个疑问，该不会又是SARS吧？

SARS 的首例患者于 2002 年 11 月被发现。此后，疫情逐渐扩散到 30 多个地区和国家。

全球感染总人数为 8240 人，死亡 745 人。[1]

然而，到了 2003 年 7 月，这次疫情被成功遏制。此后再也没有出现过 SARS 患者。人们成功地封控住了这种病毒。

这次由新冠病毒引发的传染病，国际上将其命名为"COVID-19"。引起这一疾病的病原性病毒名为"SARS-CoV-2"。在本书中将同时使用"新冠"和"COVID-19"两个名字来指代这一传染病。

此次新冠（COVID-19）发生时，众人猜测，莫非是 SARS 再次来袭？

确实，SARS 和 COVID-19 有很多相似点。

但是也有几大不同之处。

而且，正是由于这几个不同之处，才使得人类迟迟不能战胜 COVID-19。

那么，哪里一样，哪里不一样呢？

为何难以封控

这两种病毒都属于冠状病毒。

1　数据来源为世界卫生组织（WHO）官方网站。本文脚注如无特殊说明，均为编者注。

那么不同点在哪里呢？

首先，症状出现的方式不同。

确诊SARS的患者几乎都是重症。因此，不会漏诊患者。

然而，感染了COVID-19的患者多数是轻症，或者无症状，所以容易被漏诊。

轻症患者还能正常地出门走动，因此特别容易将病毒扩散开去。

另外一点，就是具有传染性的时间不一样。

SARS患者具有传染性是在症状出现以后。

因此，只要找到有症状的患者，彻底隔离，就能够有效地阻止病毒传播。

但是，COVID-19则是在症状出现之前，即在潜伏期内就具有极强的传染性。

有调查发现传染者里有四成的人是在发病前就传染给他人了。

因为即使没有症状也会把病毒传染给别人，所以就算彻底隔离了发病患者，也还是控制不住病毒的扩散。

这其实与病毒在人体的哪个部位迅速繁殖有关。

SARS 病毒比较容易在从气管到肺部那一段繁殖，不易在从鼻到喉的部位繁殖。

因此大部分患者易变成重症肺炎。

COVID-19 既容易在肺部繁殖，也容易在喉部繁殖。在肺部繁殖时容易导致肺炎，在喉部繁殖时就容易传染给其他人。

在感染后的潜伏期内，病毒在喉咙处不断繁殖，就会传染给其他人。被传染的人在没有症状的情况下，又会继续传染给下一个人。由于这个特性，想要控制住新冠病毒的扩散，几乎是不可能的。

八成的人并不具备传染性[2]

就 COVID-19 的这个特点来看，感觉人类完全被新冠病毒"吊打"了，但是事实并非如此。

实际上，COVID-19 也有弱点。

是什么呢？

就是"大多数感染者并不会传染给别人"。

换句话说就是"感染者中只有一部分人具有传染性"。

2 得出该结论的时间为 2022 年 7 月前，不能排除此后的变异株出现新情况。

具有传染性的患者差不多只占两成。

2020 年年初，当时在北海道大学做研究的西浦博教授和日本东北大学的押谷仁教授的团队在病毒刚开始流行的时候，就发现了这个特点，并制定了对应措施。

我当时得知这一消息之后，也看了厚生劳动省[3]出示的数据。

在患者还不是很多的时候，密接人员最终是否被传染，都被一个一个记录了下来。

确实，与患者有过密切接触的大部分人并没有被感染。

此后，其他国家也发现了同样的现象。

但是，为何还是控制不住疫情扩散呢？

那是因为，有部分人特别容易传染给其他人。

聚集性感染和
新型冠状病毒的弱点

研究认为，在 COVID-19 中，新增患者中的八成是被既有患者中 10%～20% 的人传染的。这是一种极

3　日本负责医疗卫生和社会保障的政府部门。译者注。

为不均衡的传染方式。

一部分人一下子能传染很多人，使得病毒在群体中迅速扩散的现象，专家称为"超级传播现象"。

其结果就是很多人同时被传染，出现聚集性感染。

极易发生聚集性感染，是这次 COVID-19 的特点。

反过来也可以认为是此次病毒的一个弱点。

并非所有的患者都具有传染性，那么只要找到在什么情况下容易出现超级传播现象，并加以严控，就能够有效地抑制住病毒的扩散了。

在此时登场的就是所谓的避开"三密"政策。

这个政策就是大家都很熟悉的：避开密闭空间

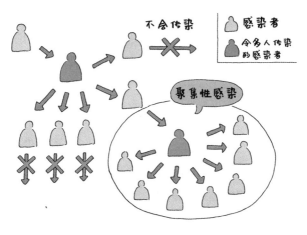

有些人会传染给许多人

（经常换气）；避开人群聚集的密集场所，保持人与人之间的距离；避开近距离谈话之类的密切接触场面。

但是，除环境因素外，还有可能是因为存在超级传播者。

例如，有数据显示，有些人会排放出大量具有传染性的病毒，其他人则不会。

或许超级传播现象是由超级传播者引起的。只是目前还在研究当中，真相如何，尚不可知。

为什么说"和经常见面的人在一起"很重要

还有另外一项有趣的研究涉及传染方式的不均衡性和超级传播现象。

在传染方式严重不均衡的时候（容易发生超级传播现象的时候），与其减少接触经常见面的人，不如减少接触平时不怎么见面的人，对控制传播更有显著效果。

换句话说，就是在新冠肺炎疫情下，年末、年初在人数不定的密集的餐厅里，跟平时不怎么见面的亲朋好友聚餐，会增加疫情扩散的风险。

这与日本厚生劳动省政府小组委员会的专家反复呼吁的是同一件事。

例如，"除了同住的家人外，聚餐限于经常见面的人，且不能超过四人"（2021年2月）。

厚生劳动省也指出，年终会、探亲、新年聚餐、成人典礼等场合，跟不经常见面的人聚会，会加大疫情蔓延的可能性。

此外，会发生超级传播现象的也并非只有COVID-19。

SARS和MERS也同样会发生超级传播现象。还有致死率极高的非洲埃博拉出血热，有数据显示，60%的埃博拉出血热新增患者是被3%的患者所传染的。

麻疹也会出现一人传染给多人的现象。

但是流感出现这样传染不均衡的情况较少，可以认为每个人都以同等的概率传染给其他人。

这里要搞明白的是，即使某个人把病毒传染给了很多人，也不能归咎于那个人。

那只是巧合而已。

科学家之所以会研究一个人为何能传染给很多人，是为了将研究成果用于更好地控制这种传染病。

与流感的相同点和不同点

既然说到了流感，就让我们重新想一下，COVID-19和流感有什么区别。

流感病毒大体可分为甲型流感、乙型流感、丙型流感。每年都会流行的是甲流和乙流，数十年就会发生一次大流行（全球性大流行）的是甲流。

所以，在这里，我想以甲流为例继续展开我们的话题。

新冠病毒和流感病毒有很多相似之处。

首先，二者都会引发呼吸系统疾病。

此外，遗传物质是单链RNA（核糖核酸），这点二者也是一样的。

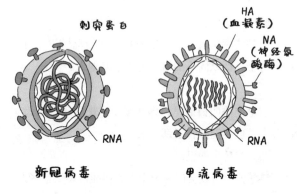

有刺突蛋白特征的两种病毒

刚才也提到了，根据病毒的种类，遗传物质还有双链DNA、单链DNA和双链RNA。

两者都有包裹在单链RNA外面的包壳和脂膜。

之前说过新冠病毒的周围排列着一圈像王冠一样的刺突，流感病毒则有两种刺突。

新冠病毒的刺突被称为"刺突蛋白"，流感病毒的刺突分别被称为HA（血凝素）和NA（神经氨酸酶）。

它们都是由蛋白质形成的（HA和NA合起来也被称为刺突蛋白）。

这些刺突并非单纯的装饰品。当新冠病毒的刺突蛋白或流感病毒的HA（血凝素）与人体细胞中的受体蛋白结合时，感染便开始了。

总之，可以认为它们是打开感染之门的钥匙。

这些都是这两种病毒间的相似点，那么不同点又在哪里呢？

流感病毒的基因组由8个部分组成

看一下基因就会发现二者有很大的差别，新冠病毒只有单一的基因，而流感病毒的基因组包含8个片段。

其中的两个，就是刚才提到过的HA和NA。

甲流的HA和NA又分别有不同的类型，通常流感病毒以这两种类型的组合来命名。例如H1N1，表示HA和NA都是1号类型；H5N1，则表示HA是5号类型，NA是1号类型。

现在在人类世界中反复出现感染的是H1N1型和H3N2型。顺便提一下，H1N1是引起2009年大流行的流感病毒的后裔，H3N2型是1968年引起大流行的香港流感病毒的后裔。

在下一章中会讲到流感病毒遗传基因的8个部分，是导致数十年就暴发一次大流行的原因之一。

此外，从引起大流行暴发的新型病毒的起源来说，新冠病毒和流感病毒也是不同的。

第3章将探讨这些"新型病毒"究竟从何而来，讲一讲它们的"起源"。

第3章

——

新型病毒从何而来？

被新冠病毒玩弄于股掌的我们，一提到大流行很容易就会想到新冠肺炎疫情。

但是21世纪最初的大流行病并不是由新冠病毒引起的，罪魁祸首是流感病毒。

一切始于2009年4月。当时的新闻头条就是《墨西哥暴发猪流感？已造成60人死亡》。

既然一直以来都说流感病毒一定会造成大流行，很多人就觉得也到了该来的时候了。

当年我也是这么认为的。

然而，意料之外的事情发生了。

在此之前很多人认为引发大流行的会是禽流感，尤其是极易在人群中传播的、毒性很强的H5N1型病毒。

为了应对这种情况，科研人员甚至提前开发了疫苗，做好了储备。

然而，真正席卷而来的流感病毒却是猪流感病毒。

这到底是一种怎样的病毒呢？

该病毒的起源，在病毒检测出来的早期阶段就已明确。

它是将两种猪群中的猪流感病毒、鸟类中流行的禽流感加上人类的流感病毒结合在一起，形成"猪·禽·人"重组流感病毒，这就是它的真面目。

　　　　　　　第3章　新型病毒从何而来？

听着是否有种丈二和尚摸不到头脑的眩晕感？人们之所以能够掌握这些情况，是长期以来对流感病毒深入研究的结果。

1918年的西班牙流感，1957年的亚洲流感，1968年的香港流感，1977年的俄罗斯流感，仅20世纪就发生了好几次流感大流行。

流感来自水禽

从专家的研究中我们得知，流感病毒最初源自水禽中的鸭类。

水鸭即使携带病毒也不会发病。

在这种情况下，我们可以称水鸭为流感病毒的"自然宿主"。

如此说来，水鸭能与流感病毒共存，就像是它们驯养了病毒一样。所以也有种说法称它们为流感病毒的"蓄水池"。

但是被流感病毒传染的不只是水鸭。

其他家禽、猪、人都会被传染，这就是问题的关键。

在第2章中，我们已经提到了流感病毒有不同的类型。

当出现类型不同的病毒时就可能导致大流行。

比如说，在H1N1型反复流行时，又出现了H2N2型的话，大流行就会持续不断。

因为在我们体内积累的对抗H1N1型病毒的免疫力对新病毒H2N2是丝毫不起作用的。

1918年的西班牙流感是H1N1型流感病毒。在其直系后裔病毒反复流行的岁月中，于1957年出现了H2N2型的亚洲流感病毒，导致了新的大流行。这时，H1N1型便消失不见了。

之后H2N2型病毒持续流行，到1968年，H3N2型的香港流感病毒出现，H2N2型便随之消失。

1977年H1N1型的俄罗斯流感病毒再次出现，它被认为是西班牙流感病毒的直系后裔，与H3N2型病毒共存。

随后又在2009年暴发了H1N1型流感病毒（大流行型）。

为何与之前相同的H1N1型流感病毒会再次引发大流行，容我稍后再解释。首先让我们来想一下，不同类型的流感病毒是如何诞生的。

在这里需要重点关注的就是猪这种动物。

一般情况下，不同种类动物的流感病毒不会轻易传染给其他动物。

病毒感染动物的时候，就像是"钥匙和锁孔"的关系。假如匹配度很高，就能够轻而易举地开锁。

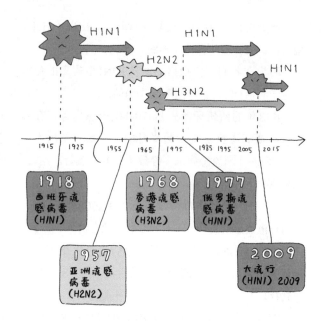

流感病毒大流行的变迁

稍有不合时，虽然也能勉强打开锁，但还是有点难度的。

因此，人类染上禽流感并不常见。如果禽流感能在人类中传播的话，通常就是病毒发生了变异，变得容易被人类感染（钥匙与锁孔变得配对的时候）。

但是猪不一样。

无论是禽流感病毒，还是人的流感病毒，猪都比较容易被感染。

这会导致什么结果呢？

就会出现不同类型的病毒同时被猪感染的情况。

正如第2章所说，流感病毒的基因组是由8个片段组成的，当猪的细胞同时感染了不同类型的病毒时，每种病毒的8个基因片段有可能混合在一起，发生重组。

其结果就是新型流感病毒的出现，如果它又具备了容易在人类中传播的特点的话，就会在人类社会引发大流行。

1957年的亚洲流感（H2N2型）和1968年的香港流感（H3N2型）都被认为是通过这种方式出现的（新型流感的出现也有其他的方式）。

2009年的新型流感病毒

2009年的新型流感差不多也一样，被认为是在猪的体内发生了病毒的基因重组。

不同的是，从1977年开始就在人类中流行的俄罗斯流感病毒（H1N1型）和2009年的新型流感病毒，虽然表面上看都是H1N1型，但是专家认为俄罗斯流感病毒是西班牙流感病毒的后裔。

为什么同样是H1N1，还会再次造成大流行呢？

简单地说，就是型号一样，但是遗传基因发生了很大的变化。

刚才提到2009年的新型流感病毒，是由两种猪流感病毒、禽流感病毒和人类流感病毒重组后形成的"猪·禽·人"重组病毒。

这个病毒的HA（血凝素）是通过猪遗留下来的西班牙流感病毒的直系后裔，在猪群长期流行的过程中，它的H1型虽然被保留了下来，但是基因却发生了巨大的变化。

正因如此，曾经用于抵抗俄罗斯流感病毒的免疫功能对新型流感病毒并不能起到防御作用。

新冠病毒从何而来？

那么这次的新冠病毒又如何呢？

就结论而言，造成这次大流行的新冠病毒从何而来、如何产生都不得而知。

但是新型冠状病毒因为与SARS的病毒"SARS-CoV"极为相似而被正式命名为"SARS-CoV-2"。

蝙蝠是各种病毒的"蓄水池"

实际上，一些蝙蝠可能携带着对人类来说有危险的病毒。

我听到有位荷兰女士在非洲乌干达参观蝙蝠洞穴

后染上了怪病的消息时，第一次感到"好可怕"。

那位女士回国后不久就出现了肝功能衰竭、肾功能衰竭、大出血等症状，不到一周就去世了。

检查血液样本后，检验人员发现了一种名为"马尔堡出血热"的致死率极高的传染病病毒。该女士被认为是感染了蝙蝠所携带的病毒。

蝙蝠还携带有埃博拉出血热病毒。这是另一种有着极高致死率的传染病病毒，从2013年到2016年，该病毒导致西非三个国家超过1万人死亡。

接着来说冠状病毒。

在本章的第一节中提到过"水鸭是流感病毒的'蓄水池'"。

同样，早在2005年就有人说过"蝙蝠不就是冠状病毒的'蓄水池'吗？"

中国的研究团队在国内四个地区研究蝙蝠所携带的病毒时，发现了与2002年至2003年流行的SARS病毒十分相似的同类病毒。

新冠病毒开始流行之后，也不断有证据证明蝙蝠携带有与SARS同类的病毒。

想要锁定新冠病毒的起源并非易事。

但是，只要蝙蝠仍然是冠状病毒的"蓄水池"，今后恐怕还会出现新的冠状病毒突然传染给人类，再次引发大流行的风险。

看到这儿，也许有人会问："如果那样的话，只要消灭所有的蝙蝠，是不是就不会发生冠状病毒大流行了呢？"

其实从两个层面上来说这种说法都是错误的。

首先，除了蝙蝠之外，其他动物也会感染冠状病毒，而且冠状病毒本就存在于人类世界中。

如果想要将携带冠状病毒的动物一扫而光，就不得不连同人类在内一起消灭殆尽了。

再者，一旦没有了蝙蝠，就会对各种生物相互制衡的生态系统造成重大影响。蝙蝠所捕食的昆虫会大量繁殖，形成新的威胁。

要防止下一次大流行，必须仔细调查当前大流行的起源。此外，了解野生动物携带哪些病毒也至关重要。

在下一章中，我将介绍应当如何应对病毒感染，讨论疫苗和药物的相关话题。

第4章

———

人类与病毒的斗争

在与病毒感染的斗争中有几个至关重要的手段。其中，检测、疫苗、药物被称为缺一不可的"三件神器"。

新冠病毒的检测

世界卫生组织（WHO）在2019年年底得知原因不明的肺炎集体感染事件。

此后10天左右中国的科研团队就公布了新冠病毒的基因全序列。

中国团队率先开始破译，此后其他各国的团队纷纷跟进。

以此为据，各国都能够进行检测，以确定患者是否感染了新冠病毒。

通过复制新冠病毒遗传基因中的特征序列并将其扩增，从而进行检测。（因为量小的话很难检测到，需要通过扩增才能进行分析。）

这个基因扩增装置，就是如今著名的PCR装置。

PCR是英文Polymerase Chain Reaction（聚合酶链反应）的首字母缩写。

DNA被复制时会用到一种被称为DNA聚合酶的酵素。这一技术就是利用DNA聚合酶将特定基因序列进行大量的复制。

这项技术的开发者是美国的凯利·穆利斯博士，

他因此获得了诺贝尔化学奖。

穆利斯是个冲浪爱好者，据说他得知自己荣获诺贝尔奖时正好就在冲浪。他是公认的与学会主流派唱反调的"怪人"，令人惋惜的是，在2019年就去世了。（顺便说一句，优秀的科学家中有好些特别有个性的"怪人"，我很欣赏这样的人。）

这项技术不光可以用于对传染病的诊断，在生物学领域里也是不可或缺的。穆利斯的名字一定会永垂不朽。

在出现新的传染病时，检测的重要性在于尽早发现感染者，并与他人隔离以避免病毒扩散。

在新冠肺炎疫情中，通过隔离病毒感染者，有效防止了感染的进一步扩大。

为了及时进行治疗，还必须通过检测尽快判断患者是否受到感染。

除了通过增扩病毒特定遗传基因序列进行检测的PCR，还有抗原定性检测和抗原定量检测等检测方法。

抗原检测，是一种检测病毒特有蛋白质而非病毒基因的方法。

检测方法包括咽喉拭子和唾液，二者精准度不同，适用方式也各异。

在诊断患者是否患流感时，医院通常使用抗原定性检测。

当然，如果是流感，即使确诊了也不会被要求隔离。检测的主要目的是判断是否需要开具抗流感的处方药。

天花疫苗的开发

在与病毒感染的斗争中，和检测一样不可或缺的是疫苗。通过麻疹和流感等疫苗接种，每个人对疫苗都不陌生。

疫苗又是什么呢？简单地说，是接种毒性较弱的病原体或者去除了病原性的病原体，这样不会致病，但能获得对病原体的免疫力。

世界上首个研发出来的疫苗是天花疫苗，于18世纪末由英国医生爱德华·詹纳研发成功。

天花病毒由来已久，据说在公元前就已流行。甚至在埃及的木乃伊里也发现了人被天花感染后的痕迹。

一旦染上天花病毒就会出现急性高烧，之后全身发疹子，就算治愈也会在面部和身体上留下疤痕。天花分为重症型和轻症型，重症型的致死率高达20%～50%，是令人非常恐惧的传染病。

宫部美雪写的以江户时代为背景的《三岛屋奇异百物语》系列小说中，就有一个留有疱疮（天花）痕迹的人物阿胜，是一个魅力十足的女性，担任"驱邪除魔"的角色。在江户时代，天花也曾多次流行。

言归正传，詹纳医生听说"得过牛痘的挤奶女工就不会再得天花"，这个说法引起了他的注意。

牛痘是一种和天花很相似的疾病，被认为是由牛传染的。与天花不同的是，牛痘的症状较轻，不会致死。

于是，詹纳医生就从患牛痘的人的皮疹中取出脓液，并接种到他仆人儿子的身上，这就是现在所谓的疫苗。

之后，詹纳医生又给那个男孩接种了天花的脓液。

换作现在，这是绝对不会被允许的人体实验，幸运的是詹纳的实验成功了，那个男孩并没有出现天花症状。

也就是说，通过接种类似天花但病原性较弱的牛痘，人们便获得了对天花的免疫。

詹纳将这种借用牛痘来预防天花病毒的方法发表在了专业杂志上，但最初没有得到世人的关注。新科学的发现一开始总是难以被人们接受的。

于是，詹纳积累了大量的实验案例，于1798年再次发表论文，终于得到了世人的认同。是的，不要轻言放弃。

补充一下，疫苗"Vaccine"这个词来自拉丁文中意为母牛的词"Vacca"。

日本的天花疫苗

"牛痘疫苗"引入日本是在江户时代的嘉永二年
（1849年）。

牛痘接种的普及者中，有一位兰学[4]医生，名叫
绪方洪庵。

绪方洪庵在现在的大阪建立了疫苗接种诊所"除
痘馆"，也就是现在所说的"疫苗集体接种会馆"。

当时"接种之后会变成牛"之类的谣言四起，即
使受流言蜚语所困，他还是排除万难继续普及推广。

其实在此之前，中国就尝试过"人痘法"的接种
方式。

詹纳种痘时使用的是病原性比较弱的牛痘的脓
液，人痘法使用的则是天花患者的脓液。

现在想来，这其实是一种极为危险的方法。实际
上，因此而染上天花也一定大有人在。

最终，安全性更高的牛痘接种法在日本被广泛采
用，为预防天花开辟了道路。

正是因为疫苗在全世界范围内的普及，世界卫生

4　指日本江户时代经荷兰人传入日本的学术、文化、技术的总称。

组织（WHO）在1980年正式宣告消灭天花。

但令人意外的是，从世界上彻底消失的传染病目前只有天花这一种。[5]

这是为什么呢？

这是因为只有天花病毒是只在人类之间流行的病毒。[6]

像流感病毒和冠状病毒那样同时能够感染人类和动物的病毒，想要彻底根除是非常困难的。

被病毒感染后体内会发生什么？

用现代知识来复盘一下詹纳的种痘法，到底是一种怎样的机制呢？

首先让我们来思考一下，当人类被病毒感染时，体内会发生些什么呢？

用一句话来说，就是体内的免疫系统会火力全开，将病毒消灭，这个免疫系统十分复杂（坦白说，在大学期间，我是绝对不会想去自主选修免疫课这么复杂的课程的，但反过来也正好说明了它是一个非常巧妙的机制）。

5　此处说法有误。2011年，世界动物卫生组织正式宣布牛瘟已被根除。这是继天花后第二种被消除的病毒性传染病。

6　同理，牛瘟只在畜类之间传播。

由于免疫系统的整体概貌实在难以解释清楚，因此在这里，我建议大家只需要保留一个大致的印象。

体内担当免疫任务的主要玩家是"吞噬细胞""T细胞"和"B细胞"。

吞噬细胞，正如其名，当病毒等异物入侵体内时，会一口将之吞噬。其中包括巨噬细胞、中性粒细胞、组织树突状细胞等好几个种类。

吞噬细胞将"吃掉病毒"这个情报传递给T细胞。T细胞也有辅助T细胞、杀伤性T细胞等几个种类。

T细胞接收了吞噬细胞的信号后被激活，开始活跃起来。其中的辅助T细胞会刺激B细胞，激活它们。

这样，B细胞就会生产出被称为抗体的蛋白质。

抗体是呈Y形的蛋白质，通过末端部分与病毒相结合，使其失去活性。

病毒信息从吞噬细胞→T细胞→B细胞一路传递下来，但B细胞产生的抗体不会无差别地附着在所有地方，而是会辨别出感染的病毒并一击即中。（怎么样，很复杂吧？）

辅助T细胞也有激活吞噬细胞的作用，就像一直在鞭笞吞噬细胞去吞噬病毒等异物。

还有杀伤性T细胞，正如其名字所展示的那样，主要任务是把被病毒感染的细胞消灭掉。

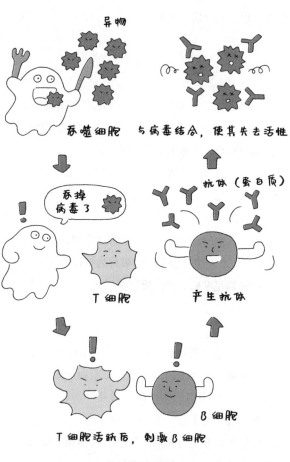

免疫的原理

一旦被病毒感染，我们的免疫系统就会跟之前的免疫系统不同。

T细胞和B细胞，就会拥有"被这个病毒感染过"的记忆。

例如，假设大家得过腮腺炎，那么大家的T细胞和B细胞就都具有了"记忆"。下次腮腺炎病毒来袭时，免疫系统就可以迅速做出反应，将其打败。

防御体系完成后，即使腮腺炎病毒再度来袭，也可以毫无症状地安然度过。

其实"免疫"这个词，最初是表示一旦得过某种传染病之后，就不再感染发病的意思。像麻疹、腮腺炎，确实在得过一次之后，就很少再次发病。

但事实上，还是有很多传染病即使得了一次，之后还是会再得。如今，"免疫"这个词变得更为广义了。

免疫系统的机制复杂多样，远不止上述这些。它涉及多种细胞的通力协作，这里省略了许多。如果大家感兴趣的话，可以去阅读相关的专业书籍。

各种疫苗

现在让我们再来思考一下疫苗的作用。

简单地说，疫苗就如同被真正的病毒感染后一样，激活身体的免疫系统，当真正的病毒来袭时能够快速地做好战斗防御的准备。

换句话说，就是欺骗我们的身体，使其误以为"被病毒感染了"。

疫苗不同于真正的病毒之处在于，疫苗经过处理，即使进入体内也不会引起疾病。

疫苗分为几种类型。

在厚生劳动省的"新冠疫苗之问与答"中，就将疫苗分为了"减毒活疫苗""灭活疫苗""重组蛋白疫苗""病毒载体疫苗""DNA疫苗""mRNA（信使RNA）疫苗"。

迄今为止，我们比较熟悉的是"减毒活疫苗"和"灭活疫苗"。

减毒活疫苗是通过削弱或消除病毒等病原体的病原性制成的疫苗，就算感染也不会得病。像麻疹风疹的疫苗以及天花疫苗（种痘）都属于这一类型。

灭活疫苗是通过去除病毒的毒性，将病毒处理成不具有传染性的疫苗。流感疫苗就属于灭活疫苗。

减毒活疫苗、灭活疫苗都是以病毒本身作为材料的，而其他诸如重组蛋白疫苗、mRNA疫苗，使用的都不是病毒本身，而是病毒的遗传基因。

其中，mRNA疫苗，作为应对新冠病毒的疫苗，于2020年12月首次投入实际应用。

mRNA疫苗之所以能震惊包括专家在内的许多人，是因为其开发速度极快，且效果远超预期。

它到底是如何运作的呢？

在第2章中我们讲到，新冠病毒的表面有一层被称为刺突蛋白的尖刺。

新冠病毒的感染，就始于这个尖刺和人体细胞相接触的一刻。

此外，第1章中还提到了，生物将遗传信息从DNA复制到mRNA，会根据这个遗传信息来合成蛋白质。

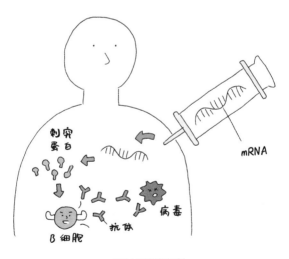

mRNA疫苗的机制

也就是说，mRNA带有合成蛋白质所需的信息。

mRNA疫苗就是将新冠病毒遗传基因中的刺突部分，也就是合成刺突蛋白的mRNA稍加处理之后注入人体内。

于是，体内细胞会根据这个mRNA信息合成刺突蛋白，随后体内的B细胞就会产生出能够与这个刺突蛋白相结合的抗体。

继而，也会随之生成能够记住这个刺突蛋白的B细胞和T细胞。

结果就是，之后即便是真正的新冠病毒来袭，人们也能凭着体内已有的抗体，或带有记忆的B细胞迅速生成抗体，来击退病毒。

那为什么这次能够如此迅速地开发出mRNA疫苗呢？

其中一个原因就是及时公布了新冠病毒的遗传基因信息。制药公司立即根据这些信息开始着手疫苗的设计。

还有一个原因是，制作mRNA疫苗相对比较简单。

比如说，要想做灭活疫苗，首先必须繁殖出大量的病毒，这个过程相当花费时间和精力。

但是，mRNA是小分子，相对比较容易制作。

话虽如此，这项工作也不是一朝一夕就能完成的。研究人员历经了漫长的探索之路，不断地试验后才有了现阶段的成就。正因为有了这个基础，这次才能如此快速地研发出疫苗。

奠定mRNA疫苗基础的是什么？

在mRNA疫苗的开发中起到重要作用的是匈牙利出生的美国研究员卡塔琳·考里科女士和美国的德鲁·韦斯曼先生。[7]

其实二人的研究，一开始也并非一帆风顺。

特别是在听了卡塔琳·考里科女士的故事后，对她所历经的重重困难，不禁想赞叹一句"能如此坚持不懈地奋斗到现在，真的是太不容易了"。

卡塔琳虽然在祖国匈牙利获得了博士学位，但由于研究所经费告罄，她决意在30岁时渡美。1985年她与工程师丈夫和2岁的女儿一起，来到了异国他乡。

当时从匈牙利携带出境的外汇限额是100美元。她把当时卖车所得的全部财产——100英镑藏进了女儿抱着的泰迪熊里偷偷带出。

之后，她在美国的宾夕法尼亚大学开始了将mRNA用于治疗的研究，但是在这里也完全得不到任何研究经费。最终，她被大学降职。

---

7 二人因此项研究于2023年获得诺贝尔生理学或医学奖。

即便沦落至此，她也坚持不懈继续研究，直到有一天，卡塔琳女士在大学的复印机前，遇到了免疫学家德鲁·韦斯曼先生。

在那里，二人发现彼此志趣相投，于是开始共同研究，完成了一篇至今仍具有重要意义的论文。

然而，论文在2005年发表之初却无人问津。直到多年以后，才终于得到认可。

这项技术如今被全世界用于新冠病毒疫苗的开发。

新的发现或许不被轻易认可，但是我们不能轻言放弃。

新冠病毒治疗药物

与检测、疫苗同等重要的还有治疗药物。

迄今为止投入使用的治疗药物大致可分为抗病毒药物、中和抗体药物、消炎药这几个类型。

首先来说说抗病毒药物。

在第1章中我们已经对抗流感病毒的药物做了介绍。大家得了流感之后，大概医生都开过达菲或扎那米韦吧，这些都是抗病毒药物。

病毒侵入体内后，会感染细胞，霸占细胞机能之后，进行自我复制，最后破坏细胞，将子代病毒再释放出去，继续感染下一个宿主细胞。抗病毒药物的作用就是将这个病毒的循环终止在某个环节，阻止病毒继续增殖。

在对付新冠病毒时，一开始使用的是瑞德西韦，这是当初为了防止埃博拉病毒导致埃博拉出血热重症化而研发的药物。

之后，又经过了很长一段时间，开发出了新的抗病毒药物——莫努匹拉韦和帕昔洛韦。

将病毒的增殖终止在什么阶段，不同的药物有着不同的战略，但可以确定的是新药物的研发都需要花费大量时间。

中和抗体药物与之前讲疫苗的时候提到过的抗体有关。

如前文所述，感染了病毒之后，免疫细胞能产生抗体。此时产生的抗体不止一种，免疫细胞可以与病毒的各个部位相结合产生多种不同的抗体。

其中，能起到防止病毒感染细胞作用的抗体就叫作中和抗体。

中和抗体药物就是选出具有这个特性的抗体，将之大量增殖后制成的药物。它一般被制成点滴药。

在新冠病毒的治疗中，使用了多种中和抗体药物，但由于出现了变异毒株，有些便失去了药效。

这可能是因为中和抗体附着到病毒上的部分发生了变化。

消炎药的目的则稍有不同。新冠病毒感染患者重症化的一个因素是有害的炎症反应。在抵御病毒时，免疫反应同样会损害体内其他细胞。消炎药的作用就是抑制这类损害。

有一些曾被用于治疗其他疾病的消炎药被发现对新冠病毒也具有一定的效果。

新冠病毒刚出现的时候，人们对应当采取何种治疗方法还在摸索阶段。但是，随着经验的积累和新药的面世，我们已经能够降低患者的死亡率了。

但是，目前尚未研发出像抗流感药物那样方便、可随时开具处方的口服药，人们期待着未来的研发能有所突破。

第 5 章

———

传染病是社会的
一面镜子

"对传染病持乐观主义是致命的，会令世界陷入危机。"世界卫生组织（WHO）在1996年的报告中这样总结道。

近年来，艾滋病、牛海绵状脑病（俗称疯牛病）、大肠杆菌O157等新型传染病接踵而至，威胁着世界上的每个人。

疟疾和结核等古老的传染病也死灰复燃。

新出现的传染病被称为"新发传染病"，卷土重来的传染病被称为"再发传染病"，为了应对这些传染病，全世界都疲惫不堪。

即便已经过了将近30年，人类依然处于危机之中。

我们也深刻体会到了传染病是多么难缠。

本章前半部分回顾困扰人类已久的传染病历史以及人类所采取的对应措施。

后半部分将重新思考我们在应对新冠病毒时采用的非常现代的手段。

由此也可以观察到人类社会和传染病的关系。

困扰全球的天花

我们在讲疫苗的时候提到的天花，自古以来多次引发瘟疫。致死率高达三成以上，是当时令人闻风丧胆的传染病。

天花究竟始于何时已无从考究。但在第4章中我们曾讲到，在埃及的拉美西斯五世（去世时间推测为公元前1145年）木乃伊的脸部找到了类似天花发疹后的痕迹，因此有理由相信天花至少在3000年前就已存在。[8]

中国公元4世纪的文献中记载了人们祈求神明保佑自己远离类似天花的疾病。

公元6世纪，天花传到了日本。

为驱疫祛病，日本开始有了供奉天花神（疱疮神）的习惯。祭拜天花神的习俗除日本之外，在印度等地也同样存在。

公元7世纪，天花传播到了非洲和葡萄牙。公元10世纪，天花扩散到了奥斯曼土耳其控制下的今土耳其所在地。

随着贸易日渐兴盛，大量人员频繁流动，导致了天花在全世界范围内流行。

到了11世纪，随着十字军东征，天花在欧洲扩散

8　也有研究者认为痘痕有可能是水痘或麻疹造成的，不能作为天花的实证。

开来，这也是人员流动导致的病毒扩散。

随着贸易、战争、侵略等人类活动的发生，天花扩散到了世界各地。

奈良时代的瘟疫

在日本，自古以来对疫病（传染病的流行）都有详细的记载。因此我们才得以了解昔日的疫情。

从《续日本纪》的记载中可以得知，在奈良时代，天平七年—天平九年（公元735年—737年）发生过天花瘟疫。

据说最早是从九州的太宰府附近开始流行，随后扩散到了当时的首都平城京（今奈良）。

很多人因此丧命，其中包括当时执掌政权的藤原四兄弟。随着叱咤政界的四兄弟的去世，政局随之动荡不安，社会陷入了混乱的局面。

当时人们是如何应对这种传染病的呢？我们也找到了很多蛛丝马迹。

比如，平城京遗迹出土的木简记载，认为存在能封印天花的咒语。

另外还出土了很多用墨描绘人脸的陶器，据说这是当时应对疫病所使用的器具。

当时不像现在有疫苗和药物，因此对付传染病只能靠咒语和祈福了。

第5章 传染病是社会的一面镜子

圣武天皇也正是在此背景之下兴建奈良东大寺大佛，目的是平复天花和地震带来的社会动荡。

有观点认为这对佛教的传播产生了影响。

天花这种传染病，不仅影响了人类的生活，还影响了政治、经济和宗教。

天花病毒的绝迹

之后，天花依旧在全世界时不时地发生。

此时，第4章中所提到的天花疫苗诞生了。

最初是使用牛痘法进行接种，到了20世纪30年代，人们发现接种时疫苗所含的病毒是与牛痘病毒十分相似的痘苗病毒。虽然它的起源不详，但由于毒性非常弱，就被当作预防天花的活疫苗来使用了。

到了1959年，世界卫生组织（WHO）提出了利用疫苗来根除天花的计划。

随后，在1967年开始执行"天花消除计划"。

当时北美洲和欧洲已经根除了天花，但在南美洲、亚洲、非洲和大洋洲等地，天花病毒依旧在传播。

1975年，世界上最后一个天花发病的重症患者是孟加拉国的一名3岁女孩。

1977年，世界上最后一个被治愈的天花轻症患者是索马里的一名男性。

然而实际上，最后一个天花的牺牲者是在1978年死亡的英国女摄影师。她在从事天花研究的医学部门工作，被认为是出于某种原因而感染的。

也就是说最后这位并不是自然感染，而是在研究所发生的一起感染事故，至今仍是一个沉痛的教训。

历经波折，世界卫生组织（WHO）终于在1980年5月8日宣布人类根除了天花。

天花也是至今唯一被人类根除的传染病。[9]

之前也说过，由于天花这种传染病只在人类之间传播，动物并不会被感染，所以只要控制住人与人之间的传染，就有可能彻底被根除。

话虽如此，但执行起来也绝非易事。

我曾听一位来自日本熊本县，名叫蚁田功的医生讲述他当时参与世界卫生组织（WHO）的"天花根除计划"，在世界各地奔走的辛苦往事。

战争导致根除计划难以进行，而难民重返家园后可能会再次引发瘟疫。

战争和灾害都会导致疫病扩散，至今依旧难以避免。

此外，在部分发展中国家，一些首领觉得天花羞于见人而故意隐瞒。有时候，当地医院的冰箱里就只

9　此说法有误，牛瘟也是被人类根除的传染病。

有用于治疗蝎子蜇伤的血清。

因此，他说当世界卫生组织（WHO）宣布一个患者都没有了的时候，他简直高兴坏了，我特别能理解他当时的心情。

保留着天花病毒

那么，根除了天花之后，天花病毒是否在地球上完全消失了呢？

并非如此。

出于日后研究所需，天花病毒样本被存储在极个别的地方。

最初，在美国、英国、俄罗斯和南非都有保存，但之后，正式保管天花病毒的地方只剩下美国一处和俄罗斯一处。

美国的保存在佐治亚州的亚特兰大疾病控制和预防中心（CDC），俄罗斯的保存在新西伯利亚州科尔索沃国家病毒和生物技术研究中心。

WHO会定期去查看这两个设施是否安全地保管着病毒样本。

到底是什么研究非得需要留着这个病毒样本呢？

疾病控制和预防中心说，是为了"开发新的治疗方法""制作更为安全的疫苗"和"提高检测天花病毒的准确率"。

说到天花的治疗药物，虽然已经有抗病毒药，但是从未在临床中实践过（因为已经没有患者了）。

只是，出于万全考虑，为防止未来再次出现天花传染病，有必要继续研发更加安全且药效更好的抗病毒药物。

同样，也需要开发更安全的疫苗和提高病毒检测水平。

为了防备可能出现的大流行情况，制作更有效的疫苗并提高对感染者的诊断手段是非常重要的。

自2022年5月以来，世界各地出现了"猴痘"传染病患者，因此如何有效预防再次受到世人的关注。猴痘病毒是天花病毒的同类，因此部分天花病毒疫苗和治疗药物被认为对猴痘也有效。猴痘的症状比天花要轻，且不容易传播，虽然无须过度担心，但有必要时刻保持警惕。

生物恐怖袭击的可能性

但是，有"万一"再出现天花的可能性吗？

虽然这是绝对不允许发生的事，但还是要时刻关注可能发生的事故导致病原体外泄，以及被当作生化武器进行生物恐怖袭击的可能性。

大家都认为天花的最后一位死者是在研究所里被感染的，因此无法断言绝对不会发生因事故而导致病毒流入自然环境中这样的事。

生物恐怖主义，是有意将生物作为武器，来达到威胁或伤害目的的行为。

不仅是天花病毒，还有炭疽病和肉毒杆菌毒素等，都存在被利用的可能性。

虽然刚才提到的保管天花病毒样本的两个设施都在世界卫生组织（WHO）的监控下，但并不能保证除此之外的其他地方不存在天花病毒。

谁都不能保证会不会从其他地方泄漏出去，或者会不会出现想以此作为生化武器的人。

当然，我们认为这个可能性非常低。但万一发生了，后果将不堪设想。

1980年人类宣告根除了天花，因此人类不再接种天花疫苗。

比如在日本，1976年之后就停止了天花疫苗的接种。

因此之后出生的年轻人都没有接种过疫苗，体内也就没有天花抗体。

正因如此，就算发生的概率再小，只要不为零，就要做好万全的准备。这也是从大地震和核事故中吸取的教训。

实际上，为了杜绝泄漏事故或者发生生物恐怖主义的一切可能，专家们一直在讨论是否应该销毁在美国和俄罗斯保管着的这两瓶天花病毒样本，如果销毁，应该在何时进行。

只是，到目前为止，病毒样本依旧被保存着，尚未被销毁。

大家觉得，是应该继续保留，还是应该销毁呢？

鼠疫的流行与社会

在新冠病毒流行之初，有一本书的销量暴增。

那就是法国作家阿尔贝·加缪在1947年写的小说《鼠疫》。

鼠疫与天花一样，都是曾令世界动荡不安的传染病。当人们手足无措地面临新冠病毒这一新型传染病的时候，就会特别想了解过去发生瘟疫时的情况。

除了加缪的《鼠疫》，还有《鲁滨孙漂流记》的作者丹尼尔·笛福在1722年写的《瘟疫年纪事》。这本书几乎还原了当时真实的情况。

鼠疫在莎士比亚笔下的《罗密欧与朱丽叶》中也有出现。

不管如何，这种传染病对社会造成的巨大影响，足以激发作者的创作欲望。

鼠疫的病因是鼠疫菌，它以老鼠等小型哺乳动物为宿主，主要通过跳蚤来传播。

历史上曾发生过三次全球性的鼠疫。

最早的一次可以追溯到公元6世纪。因为发生在东罗马帝国，这次鼠疫就以当时东罗马皇帝查士丁尼的名字命名，被称为"查士丁尼瘟疫"。查士丁尼本人也染上了鼠疫。

虽不知道那次流行源起何处，但疫情从埃及、耶路撒冷，一直蔓延到地中海沿岸，据说东罗马帝国的首都君士坦丁堡每天都有5000到10000人死亡，人口下降至原来的2/3。

农业生产也因此衰退。虽然我无法断言，但人们普遍认为这场鼠疫是导致东罗马帝国没落的一个重要因素。

三次鼠疫中最为人熟知的是发生在14世纪的黑死病。（当时"鼠疫"又被称为黑死病，是因为大多数患者在感染后会引起皮下出血，出现皮肤发黑的症状。）

此次流行起源于中亚，通过往来于丝绸之路的人们将病毒带到了欧洲。

1347年秋，一艘商船在意大利的西西里岛登陆，随船同来的老鼠和跳蚤将鼠疫菌也一起带了过来，之后，就如同燎原之火，席卷欧洲。

据信当时欧洲超过1/3的人口死于这场瘟疫。

另外，至今仍在实施的"检疫"就是从那个时候开始的。

来自鼠疫疫区的船只在抵达威尼斯时，规定船只在进港上岸前有义务停泊40天。"检疫"（quarantine）

这个词，就来源于意大利语，意为"40天"。

这次疫情对宗教改革也产生了深远的影响。因为教会没能阻止疫情的发展，人们对此失望不已，教会的权威一落千丈。

此外，鼠疫也促进了医学的发展。比如，为了解鼠疫感染的原因，开始允许尸体解剖。

第三次全球性的鼠疫从中国西南地区开始，经由中国香港、印度蔓延到世界各地。

据推测，在1903年至1921年，造成全球死亡人数高达1000万。

抗生素的出现

屡次肆虐的鼠疫，居然因为一项发现，变成了可以被乖乖治愈的疾病。

这个发现就是第1章中介绍过的抗生素。

抗生素有多种类型，对治疗鼠疫较为有效的是四环素和链霉素等。

在此之前，世界上最早发现的抗生素就是著名的青霉素，在第1章中也介绍过，是由英国的生物学家弗莱明发现的。

发现青霉素的故事也相当有名。

培养细菌的培养皿放置了一段时间之后，长出了青色的霉斑。细看会发现，只有霉斑周围的细菌没有增殖。

一般来说，看到长了霉斑的培养皿都会直接扔掉，弗莱明却突然意识到"霉斑是不是对细菌具有杀伤力"。

由此，他发现了青色霉斑中的青霉素。这么看来，弗莱明并不是懒散之人。

然而，为了将青霉素用作人类的治疗药物，就必须从霉菌中提取出青霉素并进行大规模的生产。

弗莱明对此束手无策，项目搁置许久。直到1940年，英国牛津大学的弗洛里和钱恩成功将之实现。

说起来，我乘坐牛津市内的双层观光大巴经过弗洛里和钱恩做研究的仓库时，就听人讲解道："这是开发出青霉素的地方。"

1945年，弗莱明、弗洛里、钱恩三人共同获得诺贝尔奖。由此可见，基础研究和应用研究是相辅相成、缺一不可的。

抗生素的出现，使得细菌感染治疗取得了巨大的进步。可以说它彻底改变了世界。

但是，这也带来了一种误解，让人们觉得"传染病已不再可怕""人类已经克服了传染病"。

遗憾的是，现实并非如此。世界上不仅有病毒传染病，还发现了长期服用抗生素后产生的让抗生素无法发挥作用的耐药菌。

西班牙流感病毒的复活

第三次全球范围的鼠疫暴发之后，人类又遭遇了另一波瘟疫。

那就是在第3章中介绍过的西班牙流感病毒。

这次流感从1918年到1920年在全球蔓延，据估计，全世界的死亡人数高达5000万人以上。

因为被称为"西班牙流感"，很多人误以为该病毒起源于西班牙，其实不然。

西班牙流感暴发时正值第一次世界大战期间，各国情报难以外传。此时，并未参战的西班牙境内暴发的流感疫情就像被舞台的聚光灯投射了一般，成为世界的焦点，仿佛这场疫情就是从西班牙开始的。

真正的起源地在何处，至今也没有定论。

毫无疑问的是，战争导致大量人口迁徙，疫情也随之扩散到世界各地。

人口的流动和接触导致传染病扩散的现象，亘古未变。

再加上现代航空航天事业的发展，人类的移动速度和数量都在急剧增加。正因如此，新冠病毒才会瞬间扩散到世界各地。

现在如果出现类似西班牙流感那样的病毒，它的传播速度将与百年前完全不同。但与此同时，科学的进步也会在一定程度上阻止病毒的传播。

病毒与科学之间的较量，今后仍会持续不断地发生。

科学发展的成果之一，就是破译了西班牙流感病毒的身份。

在第3章中已经介绍了，西班牙流感是被称为"H1N1"的流感类型。

这种病毒在不断地慢慢变异，最终成为季节性流感病毒，直到1957年出现H2N2型亚洲流感之后，才彻底销声匿迹。

由于百年前人们并没有发现流感病毒这个罪魁祸首，所以不明白为何会造成如此大的危害，也无法了解病毒的特征。

有一个病理学家，对解开这个谜团发挥了至关重要的作用。

他就是出生于瑞典并在美国做研究的约翰·哈尔丁博士。

他从阿拉斯加永冻土中埋葬着西班牙流感死者的公墓里挖掘出尸体，并采集了肺组织，使得百年前消失的西班牙流感病毒重现于世。

我对这个故事极感兴趣，曾联系到哈尔丁本人，听他讲述了那些大胆冒险的经历。

其实，早在1951年哈尔丁先生还是研究生的时候，就首次去阿拉斯加的公墓采集了死者的细胞组织。

只是当时未能成功从样本中获取病毒。

过了将近50年后，1997年，72岁的哈尔丁被一篇论文深深吸引。

军方病理学研究所的研究团队从死于西班牙流感病毒的士兵的病理样本中分离出了部分病毒基因。

哈尔丁本能地觉得"自己来做的话可以获得更好的样本"，于是联系了研究团队，再一次前往阿拉斯加的公墓。

这一次，他成功采集到了保存状态良好的死者的肺组织，并将其送到了研究团队。

这个样本帮助科学家破译了西班牙流感病毒的全部遗传信息。

之后，研究团队甚至根据西班牙流感病毒的遗传信息，成功"复活"了西班牙流感病毒。

当然，为了确保西班牙流感病毒不再兴风作浪，实验是在管理极其严格的实验室里进行的。

实际上，在复活流感病毒时使用的逆转基因技术是由日本病毒学家河冈义裕博士研发的。河冈博士的团队也用这项技术还原了西班牙流感病毒。

通过还原后的西班牙流感病毒，人们更详尽地了解了其性质。

尽管是场极为冒险的尝试，但哈尔丁先生的热情和科学的发展最终取得了胜利。

mRNA医药的未来

在新冠病毒肆虐之际，随着科学的进步，我们对付传染病的斗争方式也有所进步。

正如第4章中所介绍的mRNA疫苗。

之前说过，这是卡塔琳·考里科博士长年累积的实验成果，但事实上，考里科博士并不是一开始就以制造疫苗为目标的。

她的目标是开发出无论遇到何种疾病，都能够利用mRNA在体内合成的蛋白质来治疗的方法。换言之，就是开发"mRNA医药"。

例如，她认为癌症也能利用这种方法进行治疗。

但问题是mRNA进入身体后，会引起人体的免疫反应，出现炎症，从而导致mRNA被分解，最后被排出体外。

该如何解决这个问题呢？考里科博士和韦斯曼博士共同研发的方法，就是将构成mRNA的其中一个分子进行细微的加工。

这样一来，mRNA能够避开体内的免疫系统，高效地在体内产生所需要的蛋白质。

但两人在试图发表关于这种方法的研究论文时屡

屡碰壁。

尽管他们给《自然》《科学》《细胞》等刊登过重要论文的学术期刊都投了稿，却未能得到关注，论文全部被退回。

于是，他们又向专业期刊《免疫》杂志投稿。学术期刊通常会咨询多位专家评估这篇论文，来决定是否可以刊登。

当时，虽然有一些专家对这一课题并不感兴趣，但也有专家意识到了其重要性，最终论文得以发表。

2005年论文发表，二人心想"这回总该引起世界范围内研究者的关注了吧"，一定会不断地有电话来邀请他们去各地演讲。

但是，世界好像没有任何反应。就像之前说的那样，新的发现总是不能被人轻易接纳，这是个典型的例子。

后来又通过一些契机，这项研究才渐渐地受到越来越多人的关注。最终，两位的发现在今天已经起到了至关重要的作用。

就如同考里科博士最初所追求的，除了新冠病毒的疫苗之外，人们还期待mRNA治疗技术能够应用于各种疾病的治疗。

例如，利用mRNA的癌症疫苗的研究正在切实地推进中。

传染病数学模型

还有一种新的科学，因为新冠的流行而备受关注。

那就是传染病数学模型和数理流行病学。

在疫情初始阶段，就有人分析指出"为防止疫情的扩散，有必要减少八成的人员接触"，他就是在第2章中介绍过的西浦博教授，因此被人称为"八成大爷"。西浦教授的专业就是数理免疫学。

数学模型是利用数学公式模拟现实社会中发生的现象的方法，被广泛应用于各个领域。

比如，在利用数学模型进行新冠病毒模拟的人当中，有一些原本是在经济领域从事金融模拟的专家。

在数理免疫学领域，引领全球的是英国。

比方说，用公式来描述在英国居住的人之间的传播情况，或者在日本居住的人之间的传播情况，并以此作为制定对策的参考依据。

其实这个领域的研究由来已久，只是像此次这样在全球范围内广泛应用还是头一次。

数学公式本身有点复杂，这里就不做介绍了。新冠病毒流行之后，经常会听到两个词："基本传染数"和"有效传染数"。

基本传染数是指人们在没有获得免疫且没有采取

任何防控措施的情况下，一个感染者平均能传染给多少人的数字。

基本传染数因病而异，基本传染数的数值越大，表示传染力越强，疾病也就越容易蔓延。

例如，季节性流感的基本传染数在1.3左右，麻疹则有12~18，水痘有8~10。由此可见传染性有多强了吧。

新冠病毒的基本传染数根据毒株的不同而不同，一般认为其数值比季节性流感大，比水痘要小。

另一个是有效传染数，是指在戴了口罩、减少了人与人之间的接触和采取了注射疫苗等防疫措施之后，一个人能传染给多少人的平均数。

如果这个数值低于1，感染将会逐渐减少；如果高于1，流行就会继续扩大。

基本传染数再怎么大，只要有相应的防疫措施，让有效传染数降到1以下，也能有效地控制疫情的发展。

所以，可以通过参考数学模型，考虑采用怎样的应对措施。

特别容易遭人误解的是，数学模型的模拟并不是"预报"和"预言"。因此不存在预测准确与否的讨论。

数学模型只是能显示出，在这种条件下，感染状况会如何发展，以此来帮助制定相应的对策。

日本政府在制定防疫对策时首次实际运用了数学模型。

从全球范围来看，如此积极地使用数学模型也是头一次。

这个领域涉及的专业，不仅是数学和统计学，免疫学和医学知识也是必不可少的。

在新冠肺炎疫情中，数学模型在实际运用之后，也暴露出了一些问题。

虽然这是一个发展中的领域，但也许在下一次疫情到来时，能够借鉴此次的经验，将数学模型更加有效地运用在政策的制定中。

当然，不只是数学模型，新冠肺炎疫情尚未全部结束，我希望通过这本书，将各个领域的经验用于今后疫情的防控和下一次大流行病的应对。如果能成为大家共同思考的契机，那就再好不过了。

产品经理：邵嘉瑜
视觉统筹：马仕睿 @typo_d
印制统筹：赵路江
美术编辑：梁全新
版权统筹：李晓苏
营销统筹：好同学